O REI CONVIDOU ALGUMAS FADAS PARA A CELEBRAÇÃO, E ELAS DERAM PRESENTES MÁGICOS PARA A PEQUENA PRINCESA. DE REPENTE, ANTES QUE ELA RECEBESSE O ÚLTIMO PRESENTE, UMA FADA QUE NÃO HAVIA SIDO CONVIDADA APARECEU, FURIOSA.

PARA SE VINGAR, A FADA MÁ JOGOU UM TERRÍVEL ENCANTAMENTO NA PRINCESA: AO COMPLETAR 15 ANOS, A JOVEM ESPETARIA O DEDO NA AGULHA DE UMA ROCA E MORRERIA. FELIZMENTE, A FADA DO ÚLTIMO PRESENTE AINDA NÃO HAVIA DITO O QUE DARIA PARA A PRINCESA.

ENTÃO, ELA AGITOU SUA VARINHA E DISSE QUE, QUANDO A PRINCESA ESPETASSE O DEDO NA AGULHA, NÃO MORRERIA, MAS DORMIRIA UM SONO PROFUNDO E SERIA DESPERTADA POR UM BEIJO DE AMOR VERDADEIRO.

NESSE MESMO DIA, O REI E A RAINHA ORDENARAM QUE TODAS AS ROCAS DO REINO FOSSEM DESTRUÍDAS. COM O PASSAR DOS ANOS, AS PESSOAS FORAM VIVENDO NORMALMENTE E SE ESQUECENDO DO ENCANTAMENTO DA FADA MÁ.

QUANDO A JOVEM COMPLETOU 15 ANOS, O ENCANTO SE CONCRETIZOU: PASSEANDO PELO CASTELO, A PRINCESA FOI ATÉ O ALTO DE UMA TORRE E DESCOBRIU A SALA DAS ROCAS DE FIAR. LÁ, ENCONTROU UMA SENHORA SENTADA, FIANDO.

CURIOSA, A PRINCESA QUIS MEXER NA ROCA. ELA SE APROXIMOU DO OBJETO E, ENTÃO, ESPETOU O DEDO NA AGULHA E CAIU EM UM SONO PROFUNDO.

NÃO APENAS A PRINCESA, MAS TODOS OS MORADORES DO REINO DORMIRAM PROFUNDAMENTE. ANOS SE PASSAVAM, E TUDO PERMANECIA IGUAL, ATÉ QUE, UM DIA, UM PRÍNCIPE PASSOU PELO LOCAL E ENTROU NO CASTELO.

QUANDO VIU A PRINCESA, FICOU ADMIRADO E DEU UM BEIJO
CARINHOSO NELA. FOI ENTÃO QUE O ENCANTO SE DESFEZ,
E TODOS DO REINO DESPERTARAM DO SONO PROFUNDO.
O PRÍNCIPE LOGO SE APAIXONOU E PEDIU A PRINCESA EM CASAMENTO.